STUDI

PER VIOLINO

dal grado elementare agli Studi di Kreutzer

Fasc. 2: IV-V posizione

(Perlini)

ÉTUDES
for violin
from beginner level to Kreutzer's Studies
2nd Volume

E.R. 3084

RICORDI

via B. Crespi, 19 - 20159 Milano

ER 3084
ISMN 979-0-041-83084-1

INTRODUZIONE

Come è stato ampiamente argomentato nel primo fascicolo, lo scopo di questa raccolta è presentare un ragionato florilegio di studi d'autore che costituisca un valido, progressivo ma nel contempo rapido itinerario per raggiungere con efficacia e consapevolezza il traguardo prefissato: fare in modo che i giovani studenti e le giovani studentesse di violino arrivino ben preparati e "attrezzati" nei diversi aspetti della tecnica e della prassi esecutiva violinistica per affrontare con successo la pietra miliare della formazione rappresentata dagli *Études ou Caprices* di Rodolphe Kreutzer (1766-1831).

Per quanto riguarda il secondo fascicolo si inizia alternando studi in I posizione via via più impegnativi ad altri in I, II e III oppure in IV posizione fissa; dallo studio n. 15 al n. 24 si trovano studi dalla I alla IV, alternati – a partire dal n. 25 – a studi in V posizione fissa, mentre dal n. 30 troviamo studi dalla I alla V. Per praticità, l'uso delle posizioni è sempre indicato nei relativi studi.

Questo fascicolo costituisce un'ideale prosecuzione (almeno per quanto riguarda gli studi) del *Mio terzo anno di violino in 60 lezioni* (Milano, Ricordi, 2019 · ER 3055).

Alcune avvertenze:

- nei primi studi sono precisate con molto scrupolo arcate, zone e quantità d'arco, come pure diteggiature e indicazioni per collocare più dita contemporaneamente e non isolatamente. Tuttavia, tali indicazioni, pur via via meno presenti al fine di stimolare l'autonomia degli studenti e non appesantire il testo vanno puntualmente seguite;
- in assenza di indicazioni dinamiche suonare sempre forte;
- gli studi sono arricchiti, quando opportuno, da esercizi preparatori e/o varianti (gli originali sono segnalati con l'uso del corsivo);
- le lettere di chiamata e le indicazioni delle arcate conseguenti sono disposte in modo da suggerire punti utili da cui ripartire facilmente in caso di errori esecutivi; esse vanno inoltre a rimarcare snodi formali o quantitativi validi per suddividere il testo nel caso di un'assegnazione parziale dello studio;
- a livello di fonti testuali si sono consultate – quando ancora conservate – le prime edizioni delle quali sono state mantenute indicazioni agogiche, dinamiche, di articolazione e di arcata (se lacunose nell'originale, sono suggerite tra parentesi quadre, con l'eccezione dell'arcata iniziale, spesso sottintesa da molti autori); sono state altresì depurate le stratificazioni sovrapposte dai successivi revisori: un ulteriore valore aggiunto in quest'epoca giustamente attenta alla cosiddetta "esecuzione storicamente informata". Si è attinto a revisioni solo quando in esse è stata operata una vera e propria riscrittura volta a

INTRODUCTION

As has already been pointed out in the first volume, the aim of this collection is to provide a carefully thought out collection of studies (from elementary to advanced), written by well-known authors, a viable, step-by-step and rapid path designed to help students reach their goals with efficiency and self-awareness, to help young violin students towards arriving well-prepared, with a good knowledge of the many aspects of violin technique (as well as performance practice) in order to approach that educational milestone, Rodolphe Kreutzer's (1766-1831) *Études ou Caprices*, with success.

As far as the second volume is concerned, it begins by alternating gradually more challenging studies in first position with others which use the first, second or third or a fixed fourth position. The 15th to 24th studies use a combination of first to fourth position. From no. 25 on, there are studies in fixed fifth position, while starting at no. 30, the studies use the first to fifth. For ease of reference, positions are always indicated in the relevant studies.

This booklet is also an ideal follow-up (at least as far as the exercises are concerned) to *Il mio terzo anno di violino in 60 lezioni* [My third year of violin in 60 lessons], Milano, Ricordi, 2019 (ER 3055).

Notes:

- in the first exercise the bowings – as well as the part of the bow and the quantity of bow to be used – are very carefully written out, as are fingerings, and indications as to how all of the fingers, not just individual ones, should be placed. Please note that although these indications are gradually reduced in order to stimulate the student's autonomy and to avoided crowding the score, any indications, when present, should still be followed precisely;
- when no dynamic indications are given, always play *forte*;
- the studies are supplemented, when needed, by preparatory exercises and/or alternative versions (the originals are indicated in italics);
- rehearsal letters and indications for the subsequent bowings are placed in points where the student can start again easily in case of mistakes and are also used to point out formal or numerical breaks in case the teacher wants to give a partial assignment;
- as far as written sources are concerned, the first editions, when extant, have been consulted and their agogic, dynamic, articulation and bowing indications have been preserved. When these are absent in the original, editorial suggestions are indicated with square brackets, with the exception of initial bowings, often implicit.

un concreto miglioramento della ricaduta didattica (es. Ries/Sitt e Meerts/Sitt, cfr. Bibliografia);

- le didascalie originali più significative (indicate in corsivo) sono state mantenute e tradotte; le didascalie in tondo, le indicazioni riguardanti il collocare lo stesso dito contemporaneamente su due corde ("mettere la quinta") e il portarsi con l'arco verso la punta o il tallone sono invece del curatore. Le diteggiature sono state viceversa spesso modernizzate e/o razionalizzate. Le alterazioni sottintese (anche di cortesia o precauzione) non presenti nelle fonti sono indicate tra parentesi tonda, mentre i tempi di metronomo sono indicati solo se originali.

The layers of "corrections" added by subsequent editors have been removed, in line with the importance rightly placed on historically informed performance today. Editorial changes have only been included in the case of real rewritings which significantly improve didactic quality (e.g. Ries/Sitt and Meerts/Sitt, see Bibliography).

- the most significant original captions (indicated in italics) have been retained and translated; while the captions in regular text are the editor's, as are any indications for stopping two strings with one finger ("adding the fifth"), or for moving the bow in the direction of the tip or the frog. Fingerings, on the other hand, have often been modernised and/or rationalised. Implied accidentals (as well as courtesy or precautionary ones) not present in the sources are indicated in round brackets, while metronome indications are only included if found in the original.

Ringraziamenti

Esprimo i miei più sentiti ringraziamenti a Ilaria Narici, direttore generale di Hal Leonard Europe, per la fiducia nei riguardi di questo progetto editoriale; a Ivano Bettin che ne ha curato con grande passione ed estrema competenza la veste redazionale; ai miei studenti che hanno sperimentato il materiale preparatorio di questo lavoro.

Silvano Perlini

Acknowledgements

In conclusion, I would like to express my sincere thanks to Ilaria Narici, managing director of Hal Leonard Europe, for her trust in this editorial project; to Ivano Bettin, who edited it with great passion and extreme competence; and to my students, who experimented who tried out much of the material found in this work while it was still in its preparatory stages.

Silvano Perlini

LEGENDA | *KEY*

⊓	Arcata in giù *Down bow*
V	Arcata in su *Up bow*
T.A.	Con tutto l'arco *With the whole bow*
M.S.	Con la metà superiore dell'arco *With the upper half of the bow*
M.I.	Con la metà inferiore *With the lower half of the bow*
1/3 S.	Con il terzo superiore *With the upper third of the bow*
1/3 M.	Con il terzo medio *With the middle third of the bow*
1/3 I.	Con il terzo inferiore *With the lower third of the bow*
p.	Alla punta *At the tip*
m.	Alla metà *At the middle*
t.	Al tallone *At the frog*
⟶	Portarsi con l'arco verso il tallone *Bring the bow towards the frog*
⟵	Portarsi con l'arco verso la punta *Bring the bow towards the tip*
1________	Lasciare giù il dito sulla corda *Leave the finger on the string*
4 3 2	Collocare contemporaneamente le dita sulla corda *Put more fingers on the string at the same time.*
V pos. / V	In quinta posizione *In fifth position*
restez	Rimanere nella stessa posizione *Hold the same position*
◇	Collocare il dito contemporaneamente su due corde *Put one finger on two strings at the same time*

BIBLIOGRAFIA | *BIBLIOGRAPHY*

Fonti | *Sources*

Jean-Delphin Alard, *École du violon, méthode complète et progressive à l'usage du Conservatoire*, Paris, Schonenberger, 1844

Charles-Auguste De Bériot, *Méthode de violon divisée en troi parties* op. 102, Paris, Bauve, 1858

Antonio Bartolomeo Bruni, *Cinquante Études pour le Violon* [...], Paris, Imbault, s.d. [ma 1790]

Cinquante Études pour le Violon formant la 2.me Partie [...], Paris, Sieber, s.d. [ma 1795]

Albrecht Blumenstengel, *24 Étude pour violon préparatoires aux* études *de Kreutzer* op. 33, Braunschweig, Litolff's, s.d. (1855 ca)

Bartolomeo Campagnoli, *Metodo per violino diviso in 5 parti* [...] op. 21, Milano, Ricordi, 1797

Charles Dancla, *15 Études faciles et caractéristiques pour le violon,* [...] op. 68, Paris, Colombier, 1854

Jakob Dont, *24 Vorübungen für die Violine zu R. Kreutzer und P. Rode's Etuden* [...] op. 37, Wien, Witzendorf, 1852

Federigo Fiorillo, *Etude de Violon, ou 36 Caprices,* [...] [op. 3], Offenbach am Main, André, s.d. [ma 1793]

Friedrich Hermann, *Violinschule*, Leipzig, Peters, 1897

Károly (Carl) Huber, *Hegedütan – A' budapesti Zenedében való tanitásra / Violinschule – Für den Unterricht des Musik-Conservatoriums zu Pestofen,* Budapest, Rózsavőlgyi, 1855

10 dallamos és technikai hegedü gyakorlat az első fekvésben egy második hegedü kiséretével / 10 melodisch technische Violin-Etuden in der ersten Lage mit Begleitung einer zweiten Violine, Budapest, Harmonia, s.d. [ma 1883]

Joseph Joachim – Andreas Moser, *Violinschule in 3 Bänden*, Berlin, Simrock, 1902 – 1905

Heinrich Ernst Kayser, *Etudes élémentaires et progressives pour le violon composées exclusivement pour ceux, qui veulent se préparer pour les célèbres études de Kreutzer.* Op. 20, Hamburg, Cranz, 1848

Ferdinand Küchler, *100 Etüden für die Anfangs- und Mittelstufe des Violinspiels* [...] op. 6, Leipzig, Hug, 1929

Jacques Féréol Mazas, *75 Études mélodiques et progressives* op. 36 [Études spéciales – Études brillantes – Études d'artistes], Paris, Aulagnier, 1843

Nicolò Mestrino, *Fantaisie et Variations pour Violon Seul par Mestrino*, Paris, Sieber, 1793

Pieter Hubert Ries – Hans (Jan) Sitt (revisore), *Violinschule von Ries-Sitt*, Leipzig, Hofmeister, s.d. (1915 ca)

Hans (Jan) Sitt, *100 Etüden* op. 32 *für die Violine als Unterrichtsmaterial zu jeder Violinschule zu gebrauchen*, Leipzig, Eulenburg, 1895

Louis Spohr, *Violinschule,* Wien, Haslinger, 1833

Georg Wichtl, *Méthode pratique de Violon pour les Amateurs* op. 11, Offenbach am Main, André, s.d. [ma 1853]

Saggi | *Essays*

Dizionario enciclopedico universale della musica e dei musicisti, a cura di Alberto Basso, Torino, Utet, 1985-1988

Lexikon der Violine, a cura di Stefan Drees, Laaber, Laaber-Verlag, 2004

The Cambridge Companion to the Violin, a cura di Robin Stowell, Cambridge, Cambridge University Press, 1992

Arnaldo Bonaventura, *Storia del violino e dei violinisti*, Milano, Hoepli, 1933

Ivan Galamian, *Princìpi di tecnica e d'insegnamento del violino*, ed. it. a cura di Renato Zanettovich, Milano, Ricordi, 1991

Enzo Porta, *Il violino nella storia*, Torino, Edt, 2000

ad Alberto

I

Károly (Carl) Huber (1828-1885)
Zehn melodisch technische Violin-Etüden, 10

Puoi esercitarti anche con queste varianti: | The student can also practice the following variations:

2

Federigo Fiorillo (1755-*post* 1823)
Capriccio op. 3/1

Studio dalla prima alla terza posizione | Study using the first through third positions

* e ** In questi punti in alcune revisioni si trovano aggiunte delle articolazioni, ma si è preferito rimanere fedeli alla prescrizione dell'autore riportata nella *Observation* della prima edizione: "*Il faut détacher toutes les notes dont le coup d'archet ne sera pas marqué*" ("Bisogna suonare in *détaché* tutte le note per le quali non sarà indicato il colpo d'arco").

* and **: at these points, some previous editions have added articulations. However, we have chosen to remain faithful to the author's directions, which are found in the "*Observations*" section of the first edition: "*Il faut détacher toutes les notes dont le coup d'archet ne sera pas marqué*" ("When no bow strokes are indicated, all notes should be played "*détaché*").

*** È decisamente insolito che uno studio termini in tonalità diversa rispetto a quella d'impianto, ma è invece molto frequente nei *Caprices* di Fiorillo che sono tonalmente concatenati l'uno con l'altro in funzione dell'esecuzione integrale dell'opera (non a caso denominata «*Étude*», al singolare; cfr. Bibliografia).

*** Although it is quite unusual for a study to end in a different key than the one it starts in, it is very common in Fiorillo's *Caprices*, which are strongly linked to one another tonally, because they were conceived to be played together. Hence the denomination "*Étude*" rather than "*Études*" (see bibliography).

3

Jean-Delphin Alard (1815-1888)
da | *from École du violon*

Studio in prima posizione | Study in first position

Allegretto

[M.S.]
pp

6

11

16

21

26

A

31

[T.A.]

[T.A.]
f

41

46
B
[M.I.]
pp

51

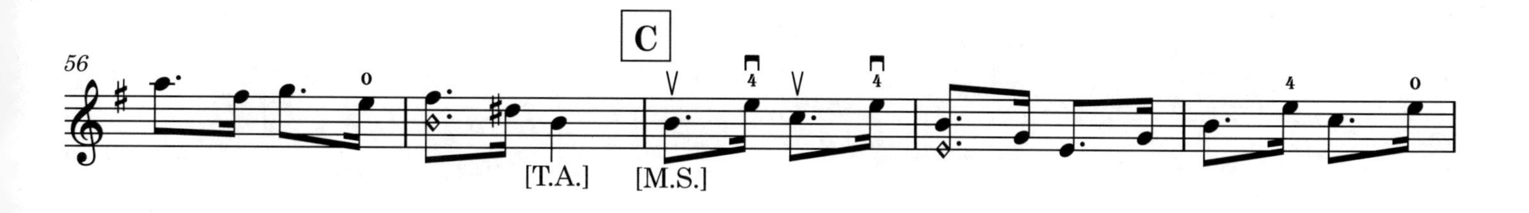
56
C
[T.A.]
[M.S.]

61

66

70

74
[T.A.]

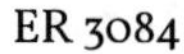

4

Charles de Bériot (1802-1870)
da | *from Méthode de violon*, II

Studio dalla prima alla terza posizione | Study using the first through third positions
Sull'alternanza tra suoni reali e suoni armonici. | Exercise for alternating between harmonics and fundamental tones.

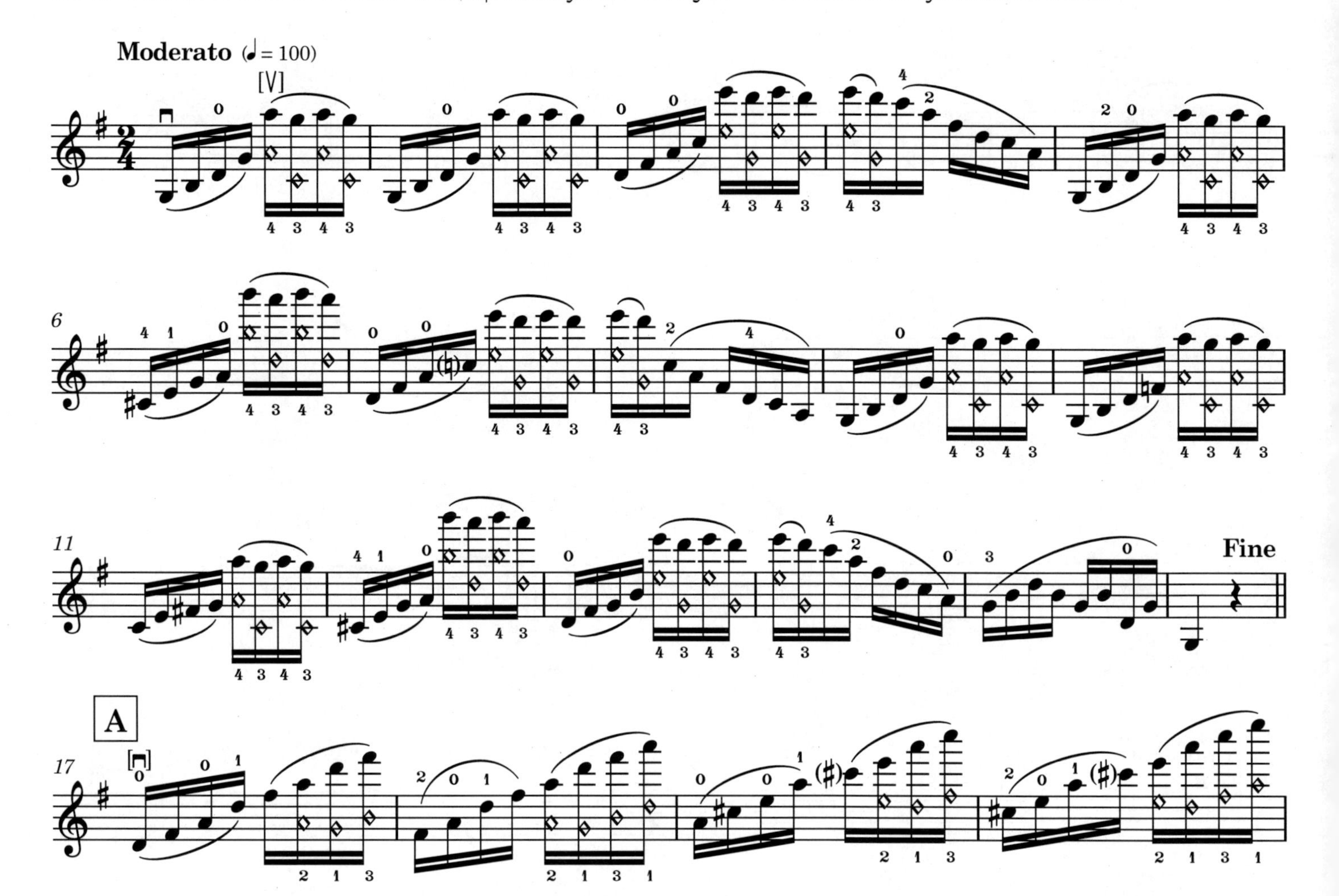

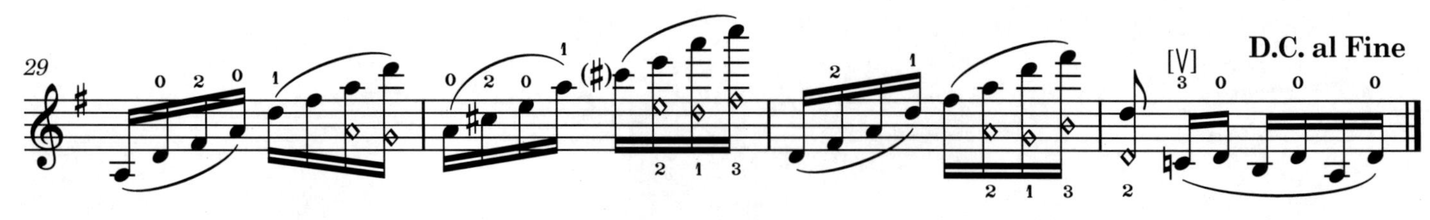

5

Louis Spohr (1784-1859)
Violinschule, I, 26

Studio in prima posizione | Study in first position

6

Jakob Dont (1815-1888)
op. 37/4

Studio dalla prima alla terza posizione | Study using the first through third positions

7

Georg Wichtl (1805-1877)
op. 11/8

Studio in prima posizione | Study in first position

8

Jacques Féréol Mazas (1782-1849)
op. 36/11

Studio dalla prima alla terza posizione | Study using the first through third positions

Martellato – Scavalcare le corde senza alzare l'arco. | Martellato – jump from one string to another without lifting the bow.

Allegro non troppo

segue art.

[1/3 S.]

A

9

Pieter Hubert Ries (1802-1886)
Violin-Schule (rev. H. Sitt), I, 129

Studio in prima posizione | Study in first position
Studiare dapprima lentamente e sempre con grande precisione, poi gradualmente portare a un tempo più mosso.
Possono essere utili come esercizi preparatorii le seguenti varianti:
Begin by studying slowly, always with great precision, before slowly building up to a faster tempo.
These exercises are useful as a preparation for the following alternatives:

10

Hans (Jan) Sitt (1850-1922)
op. 32/31

Studio in quarta posizione fissa | Study in fixed fourth position

* Così nell'edizione originale. | Indication from the original edition.

33

B
37

41

45

49

53

57
3
4

60

63

66

II

Joseph Joachim (1831-1907) – Andreas Moser (1859-1925)
Violinschule, I, 185b

Studio in prima posizione | Study in first position

12

Ch. de Bériot

Méthode de violon, I, 3me *Mélodie*

Studio in quarta posizione | Study in fourth position

13

K. Huber
Violinschule, II, 43

Studio in prima posizione | Study in first position
Non alzare l'arco dalla corda | Do not lift the bow off the string.

14

P. H. Ries
Violin-Schule (rev. Sitt), II, 251

Studio in IV posiz. fissa; lasciare giù il più possibile le dita sulle corde.

Study in fixed fourth position; leave the fingers on the strings for as long as possible.

15

Ferdinand Küchler (1867-1937)
op. 6/91b

Studi dalla prima alla quarta posizione | Study from the first through fourth positions

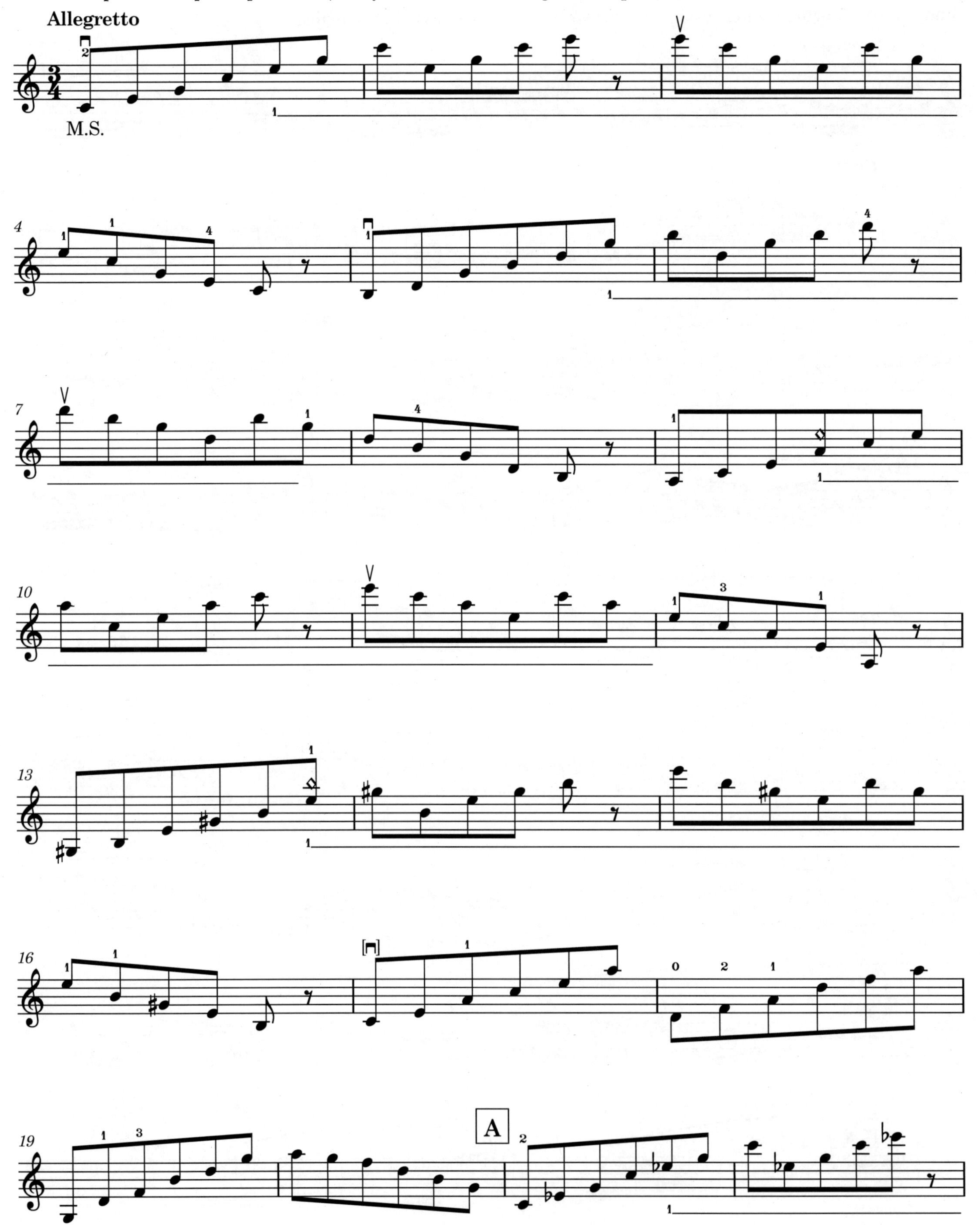

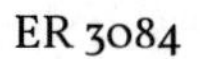

16

Heinrich Ernst Kayser (1815-1888)
op. 20/18

Lasciare giù il più possibile le dita sulle corde. | Leave the fingers on the strings for as long as possible.

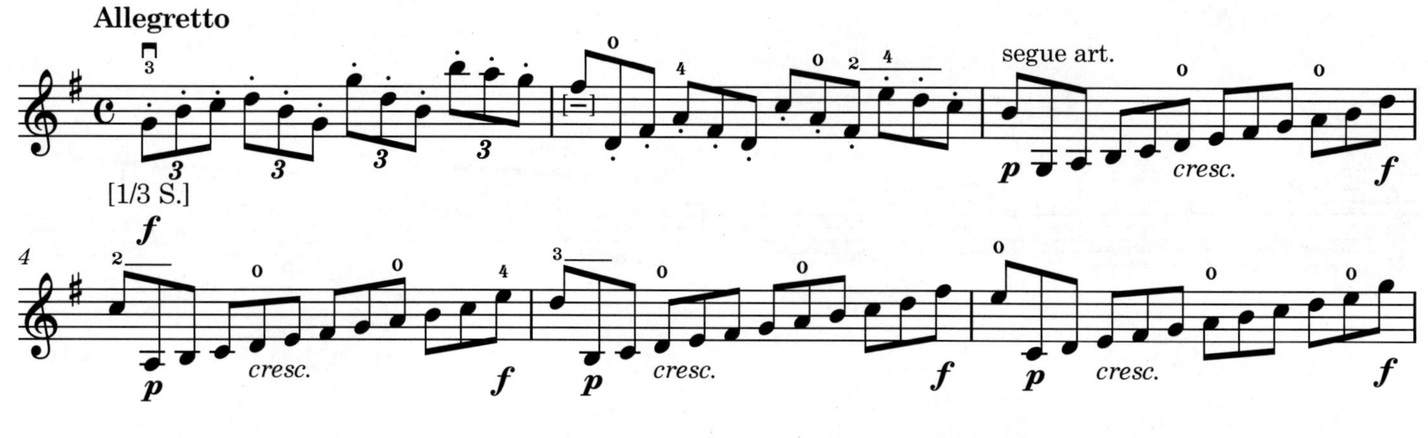

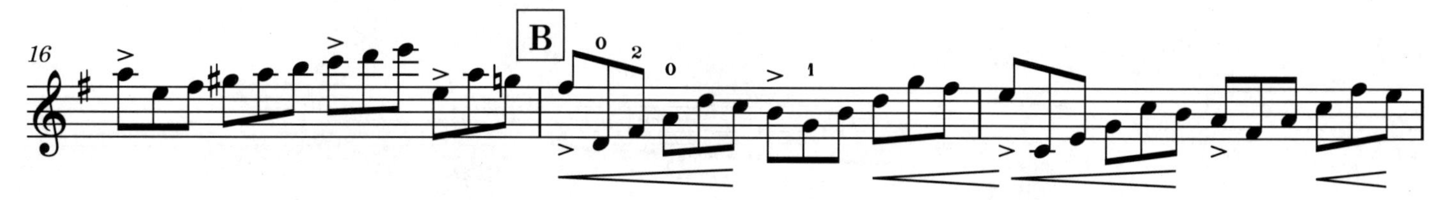

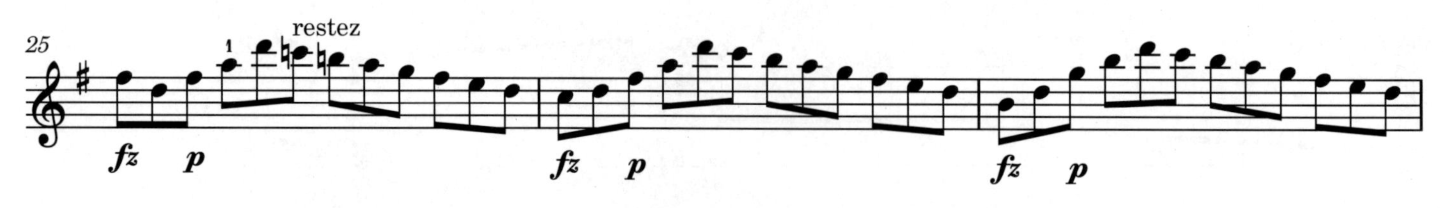

C
28

31
cresc.
cresc.
cresc.

34
cresc.
cresc.

I pos.
37

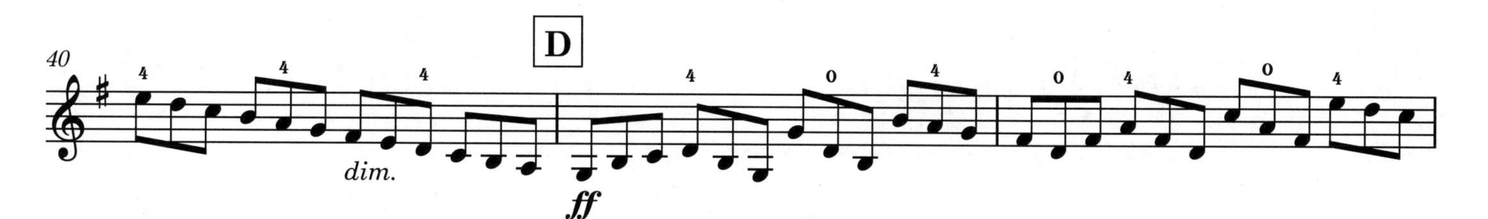
D
40
dim.

43

46
restez

49

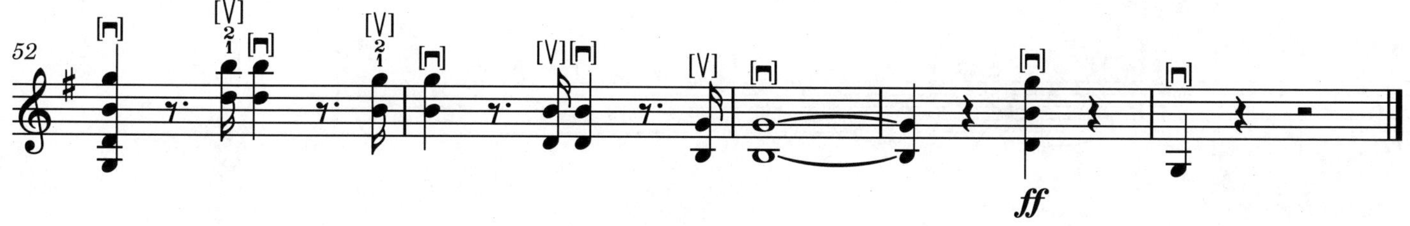
52

17

Charles Dancla (1817-1907)
op. 68/8

18

H. Sitt
op. 32/54

Tempo di marcia

* Fare attenzione al cambio di colpo d'arco. | Pay attention to the change of bow stroke.

19

J. F. Mazas
op. 36/3

Tirare l'arco dalla metà alla punta con forza e senza alzarlo dalla corda.
Pull the bow from the midpoint to the point with force and without allowing it to lift off the string.

B
cresc.

dolce

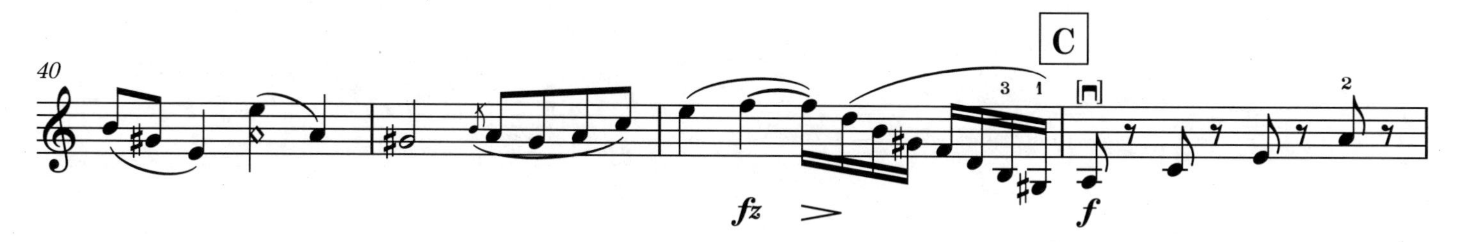
C

D
dolce

rinf.

20

L. Spohr
Violinschule, I, 41

36
B
m.

41

45

49
cresc.

53
M.S.
M.I.
T.A.
M.S.
m.

C
57
[segue art.]

61

65

69
M.S.
T.A.

21

Bartolomeo Campagnoli (1751-1827)
Metodo, 161

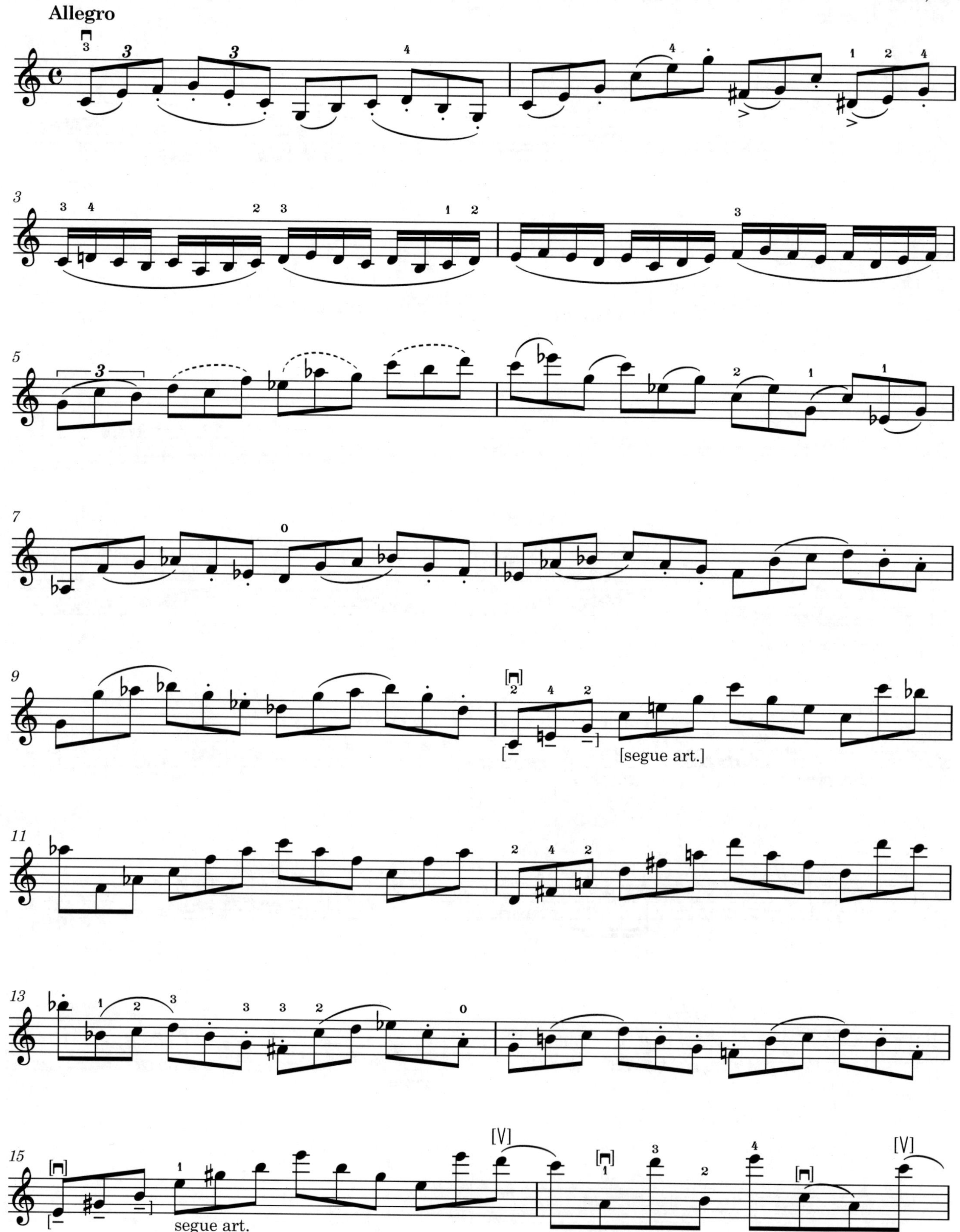

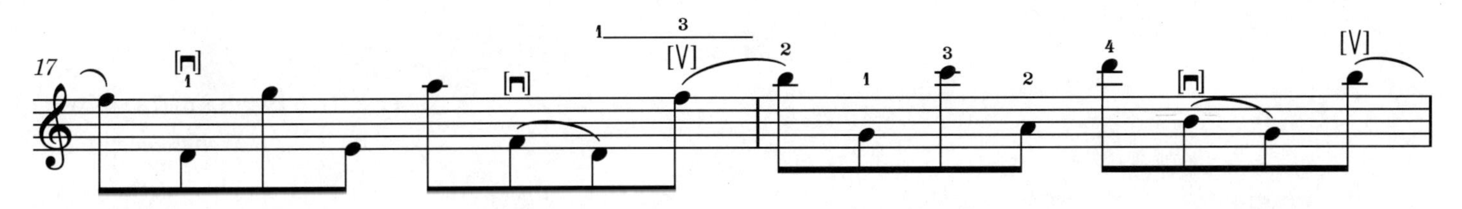

A

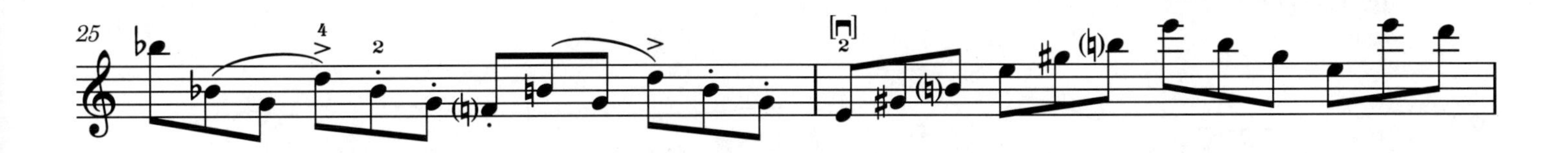

I pos.

22

Friedrich Hermann (1828-1907)
Violinschule, II, 108

Adagio

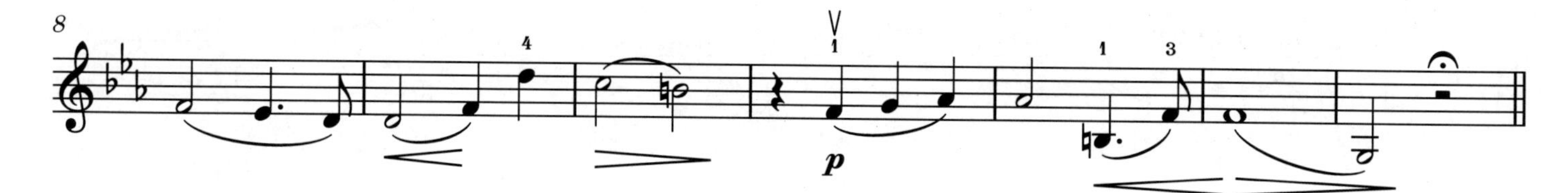

ALLA TEDESCA

Moderato

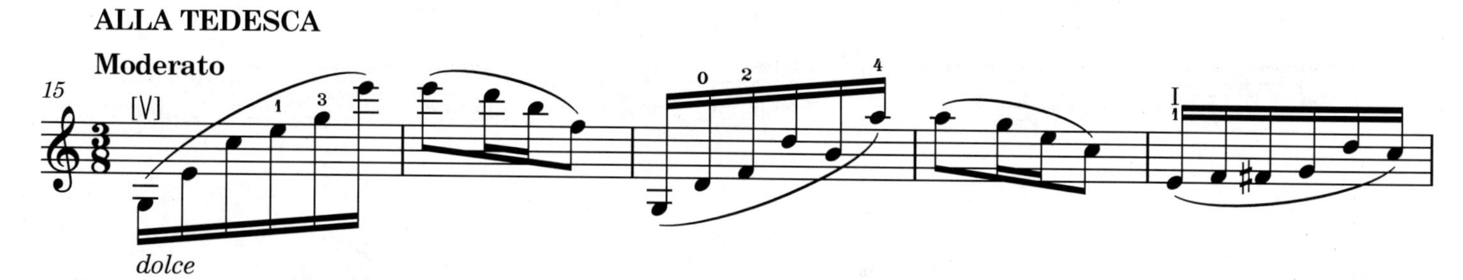

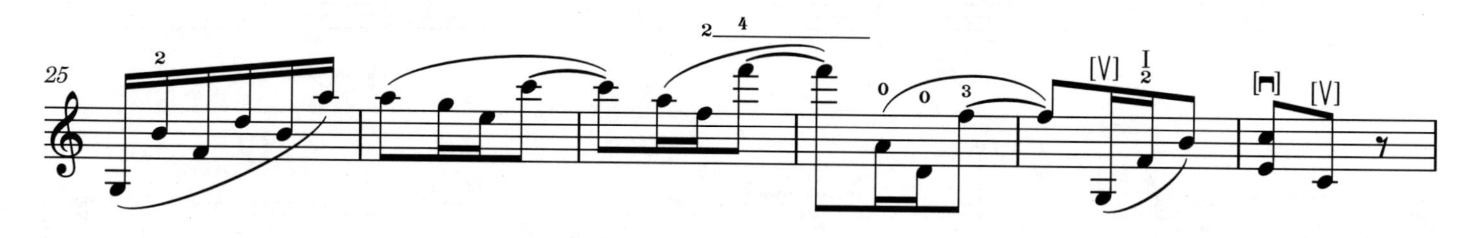

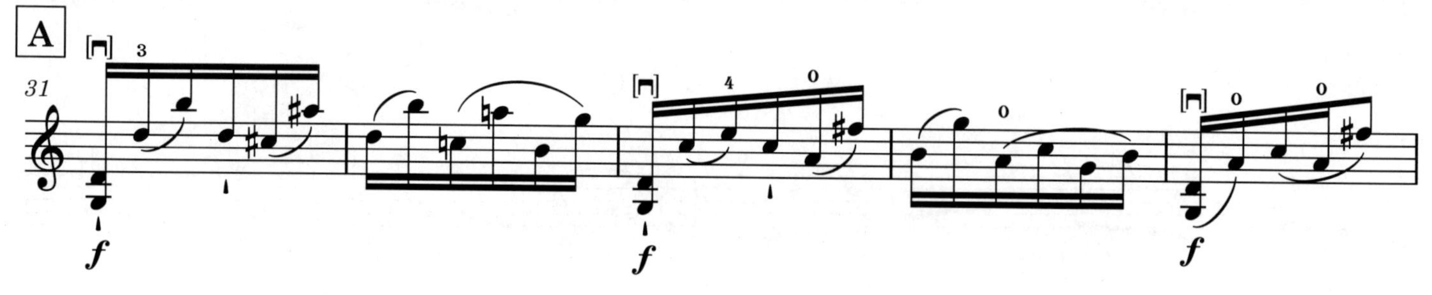

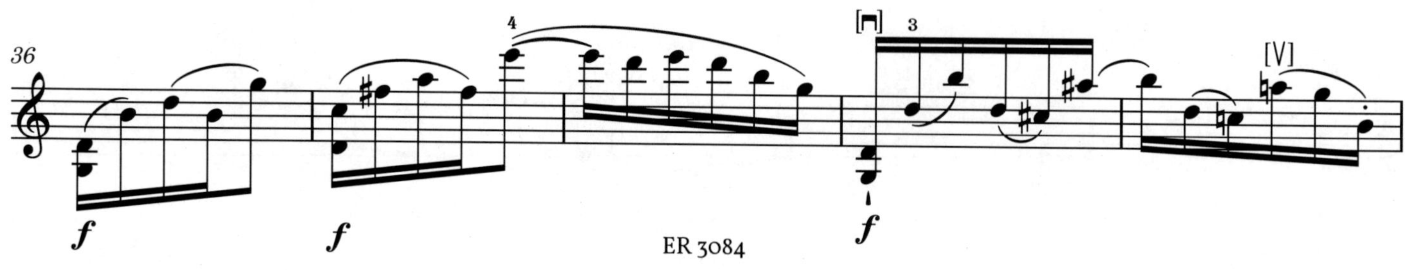

restez

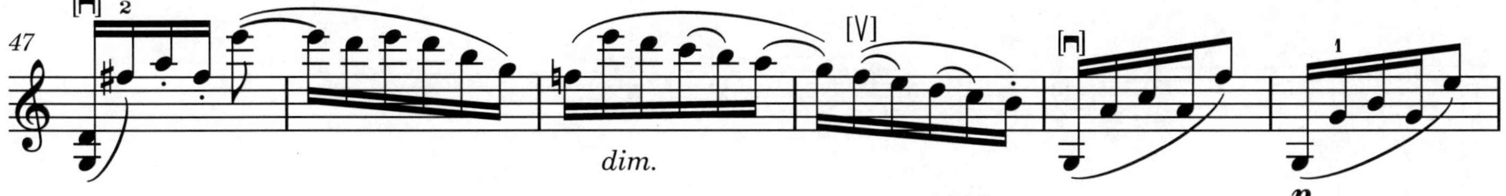
dim.

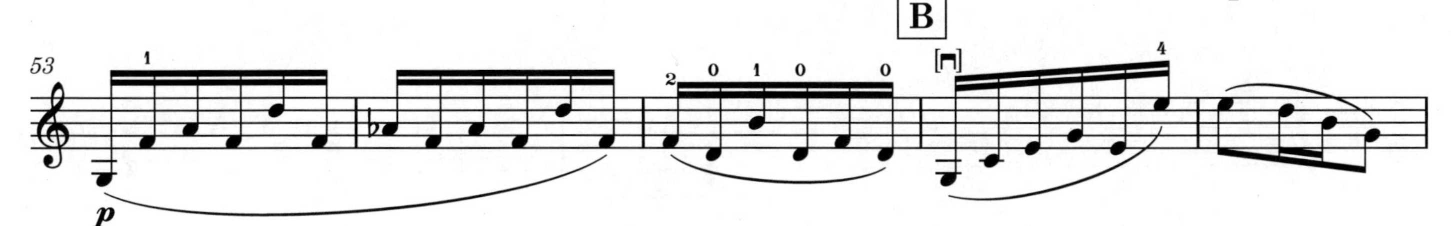
B

restez

C

pizz.

23

J. F. Mazas
op. 36/25

Al tallone, sollevando l'arco dopo ogni nota. | At the frog, lifting the bow after every note.

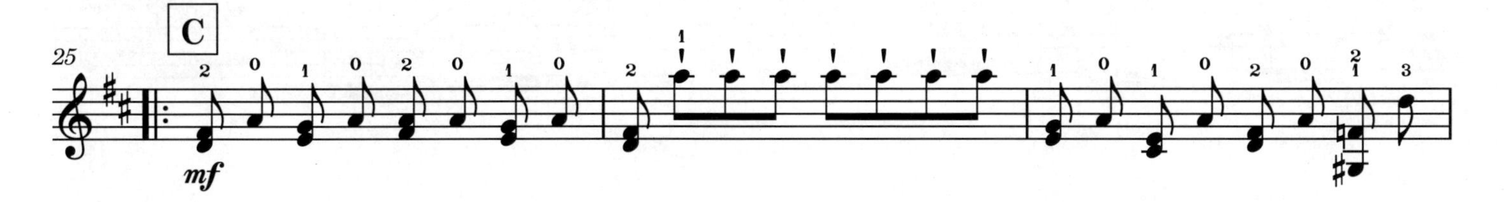
C
mf

p
f

D
p

f

p
f

D.C. al Fine

24

J. Dont
op. 37/7

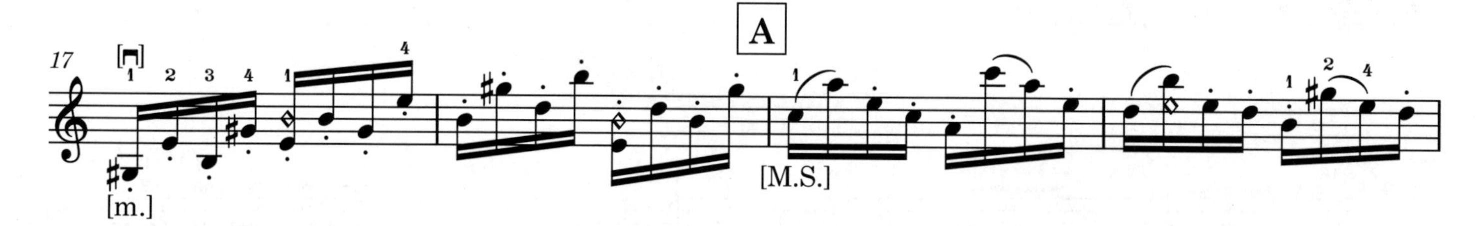

29
[m.]
[p]
[M.S.]
[f]

33
[m.]

37
[M.S.]

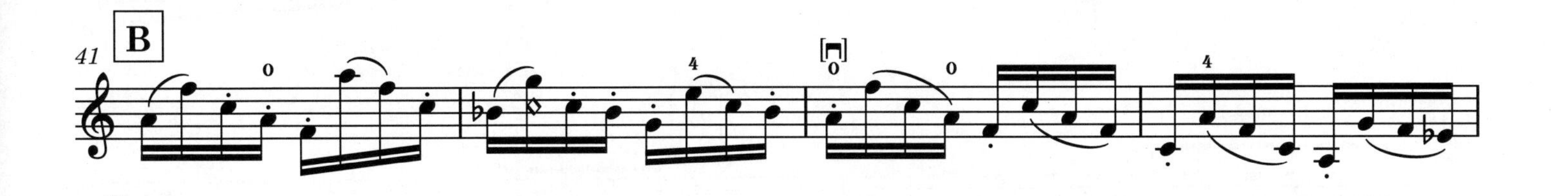
41
B

45

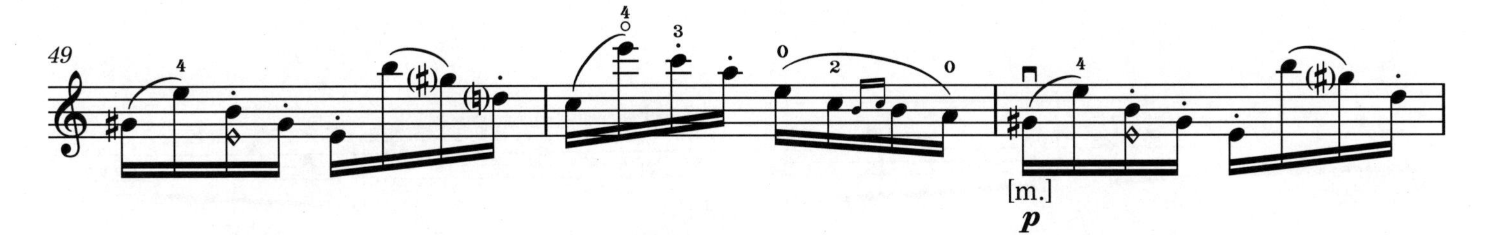
49
[m.]
p

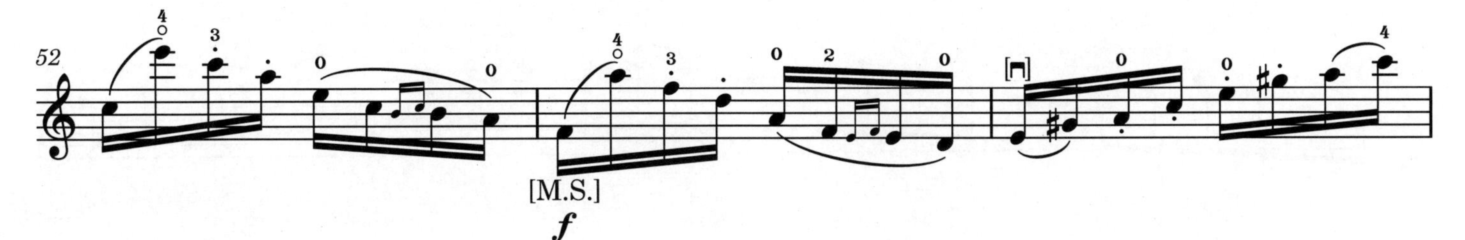
52
[M.S.]
f

55
dim.
p

25

H. Sitt
op. 32/37

Studio in quinta posizione fissa | Study in fixed fifth position

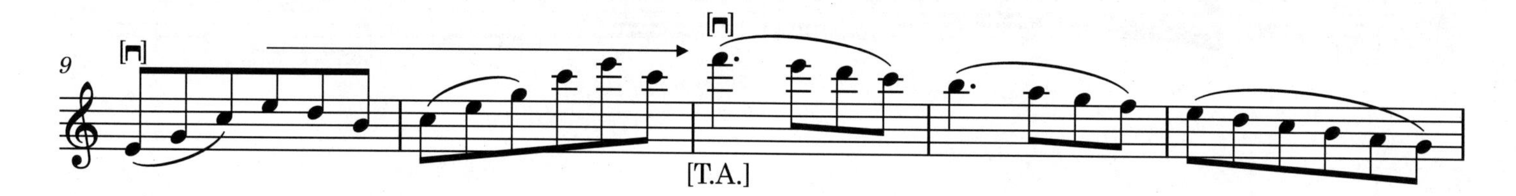

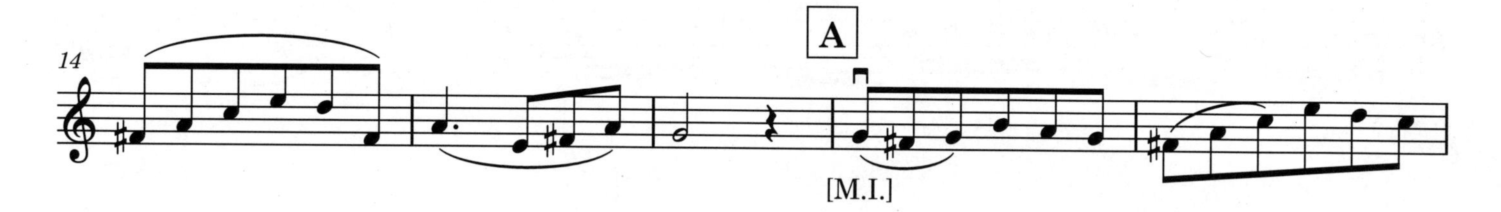

35

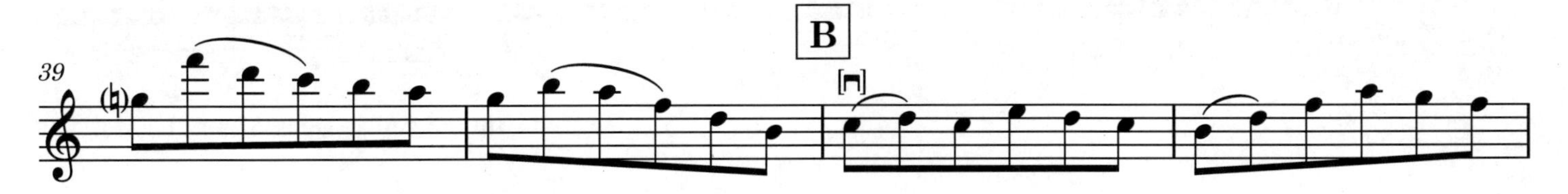
B
39
(♮)
[⊓]

43

47
[⊓]

51
(♮)

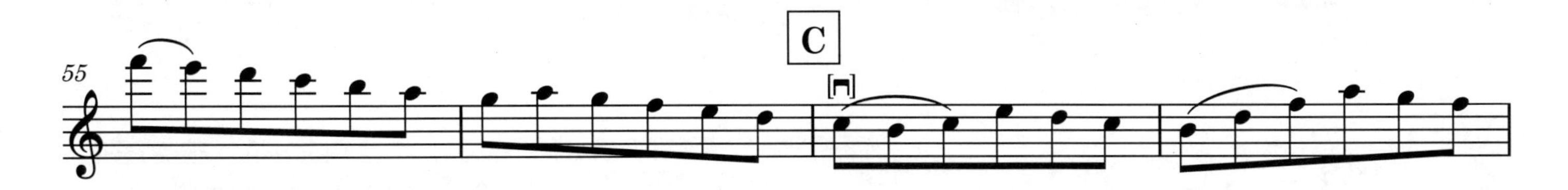
C
55
[⊓]

59

63

66
[V]
[T.A.]

26

Antonio Bartolomeo Bruni (1757-1821)

Cinquante Études, I, 36

Allegro assai

[seguono dinamiche] | [Dynamics as before]

[*p* sempre]

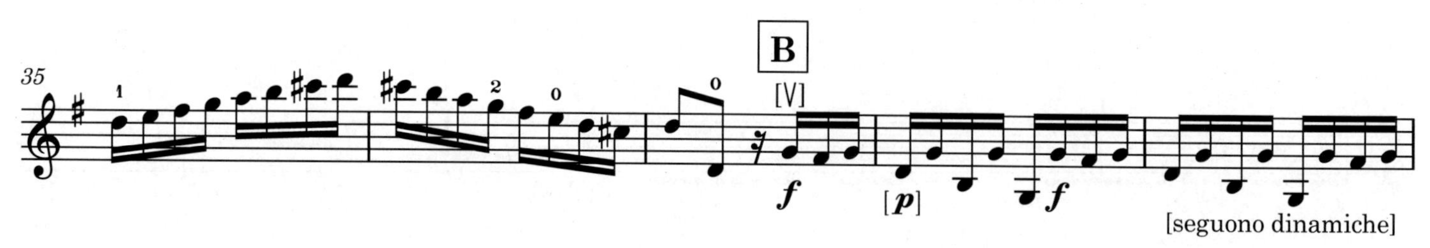

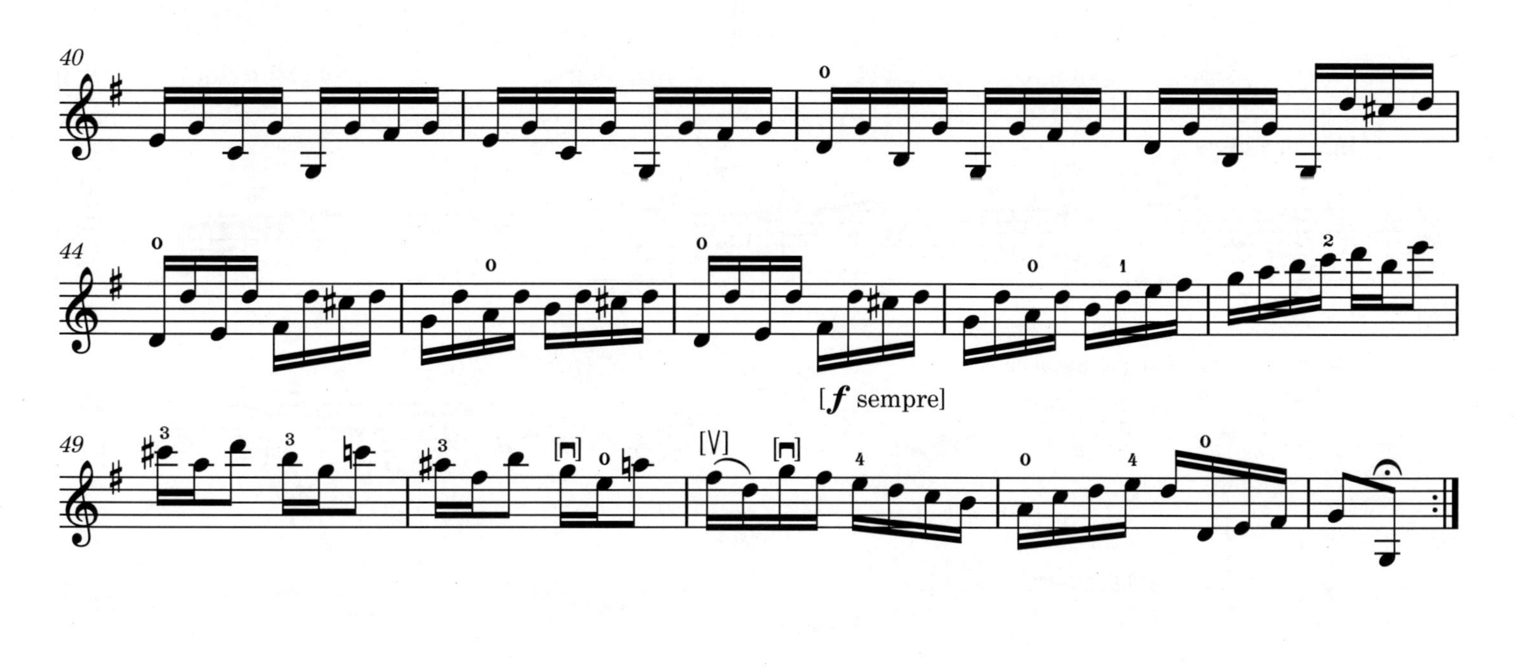

27

P. H. Ries
Violinschule (rev. Sitt), II, 263

Studio in quinta posizione fissa | Study in fixed fifth position

28

Nicolò Mestrino (1748-1789)

Fantaisie

* L'edizione originale della *Fantaisie* è priva di qualunque agogica, dinamica, arcata, articolazione e diteggiatura.

* The original edition of the *Fantaisie* does not include any indications for accents, dynamics, bowing, articulation or fingering.

** *la*♯ nell'edizione originale. | *a*♯ in the original edition.

D
50
cresc.

55
cresc.

60
segue art.

65
segue art.
poco a poco cresc.
E
70
cresc.

76
segue art.
dim.
poco a poco cresc.

F
82
segue art.

87

92
I pos.

97
dim.

103
segue art.
cresc.
cresc. molto

29

G. Wichtl
op. 11/34

Studio in quinta posizione fissa. *De l'Opéra "Norma" de Bellini* *
Study in fixed fifth position. *From the opera "Norma" by Bellini* *

* Dal duetto dell'Atto I "*Vieni in Roma, ah!, vieni, o cara*". | Taken from the Act I duo, "*Vieni in Roma, ah!, vieni, o cara*".

30

A. B. Bruni
Cinquante Études, I, 1

Studi dalla prima alla quinta posizione | Study using the first through fifth positions

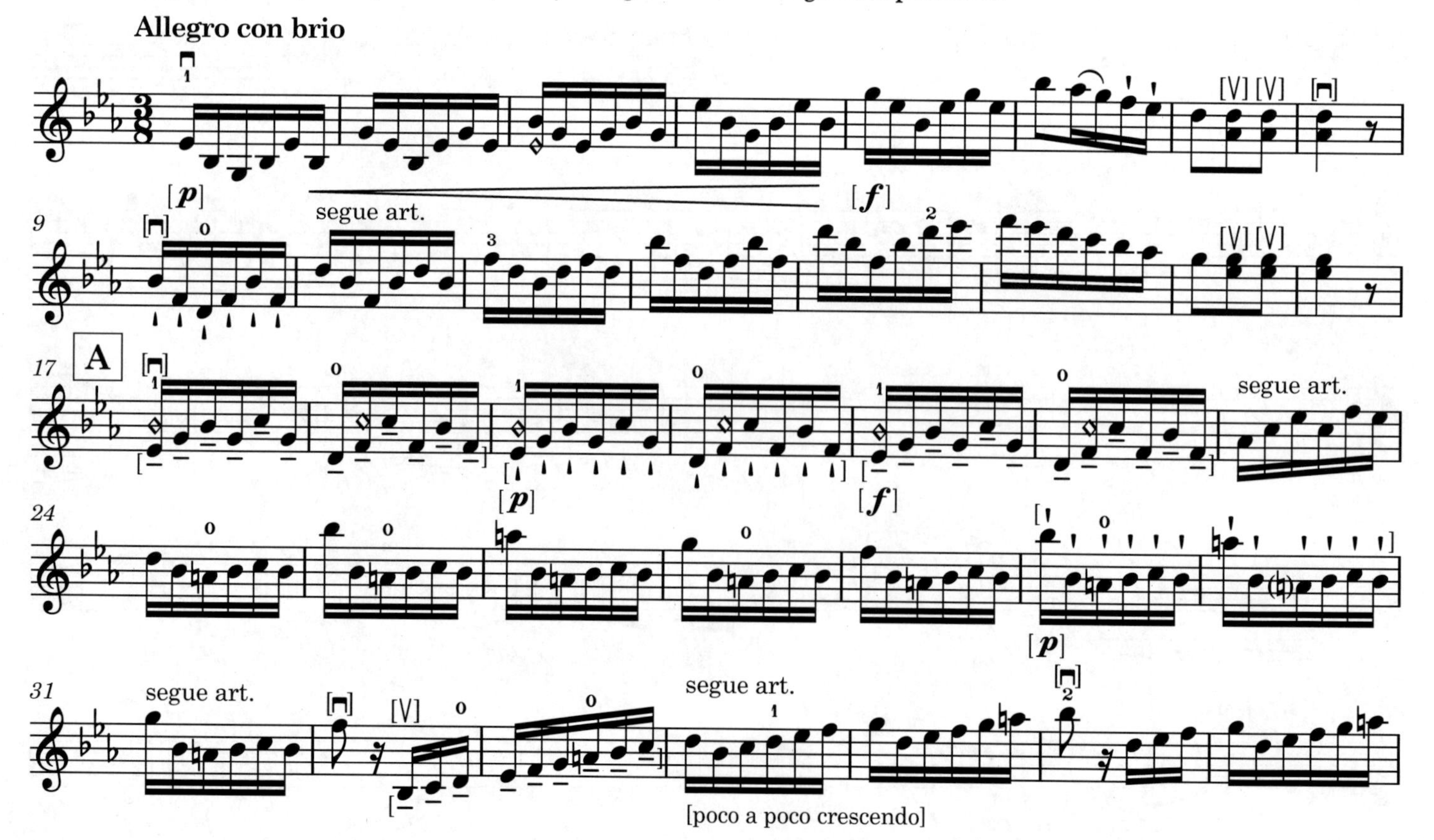

I pos.
B
segue art.
C
[dim.]

31

J. F. Mazas
op. 36/29 *

Lo staccato | *"Staccato"*

* È stata omessa l'introduzione. | The introduction has been omitted.

B
segue art.
dim.
restez
I pos.
C
D
cresc.
lisce
mf cresc.
E
segue art.
segue art.

32

Albrecht Blumenstengel (1835-1895)

op. 33/18

sulle corde di Re e La
cresc.
sulle corde di Re e La
p
II pos.
II pos.
p
mf
cresc.
f
mf
sulle corde di Re e La
f
p

33

J. F. Mazas
op. 36/20

Sostituzione delle dita. | *Finger substitutions.*

Esercizi preparatorii: | Preparatory exercises:

B
28
I pos.
p

31
I pos.
restez

34
I pos.
I pos.

37
I pos.
C
40
I pos.

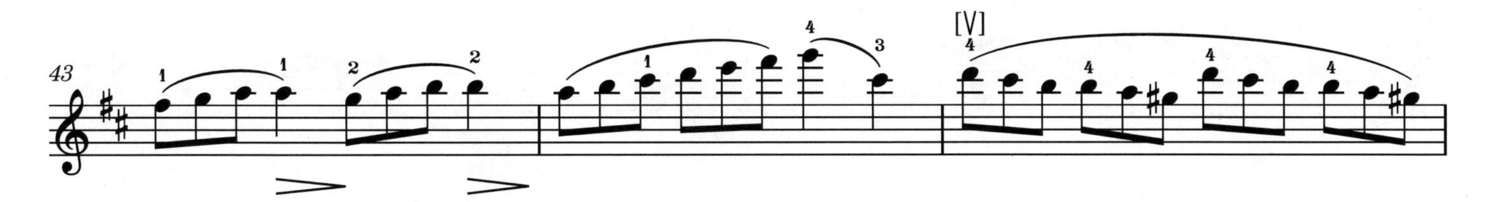
43

46

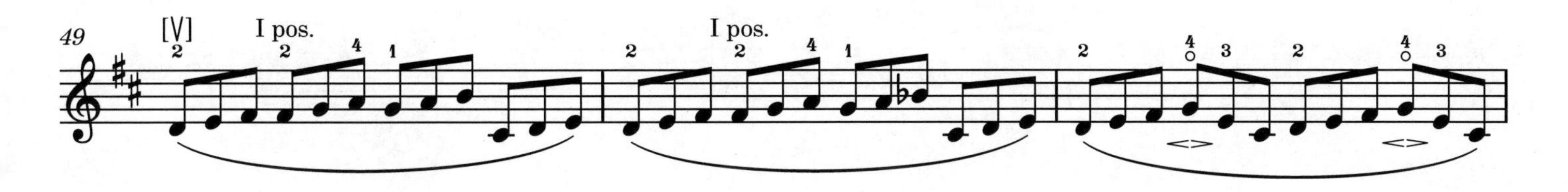
49
I pos.
I pos.

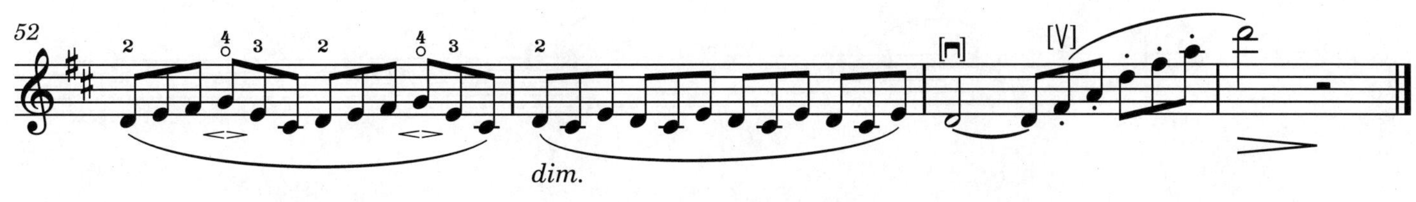
52
dim.

34

H. Sitt
op. 20/99

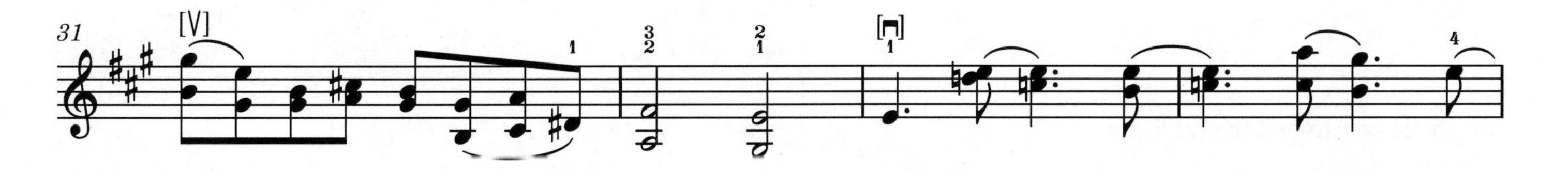

35

A. B. Bruni
Cinquante Études, II, 39

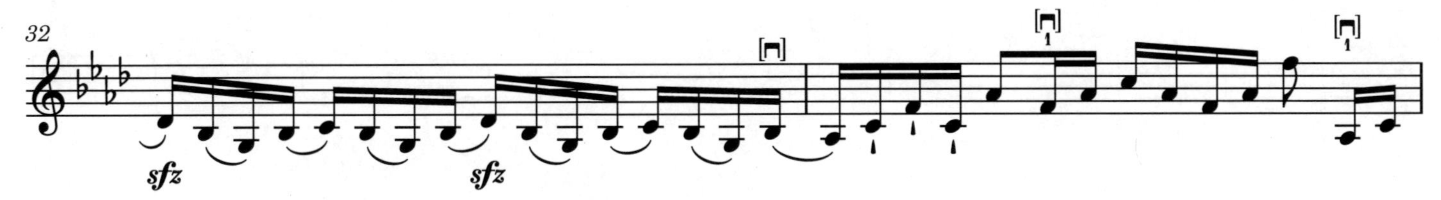

* Questo ***sfz*** e i successivi nell'edizione originale sono indicati con un semplice ***f***.

* This ***sfz*** and the ones following it are indicated as just an ***f*** in the original edition.

36

Fr. Hermann

Violinschule, II, III

PASTORALE.

Allegretto grazioso

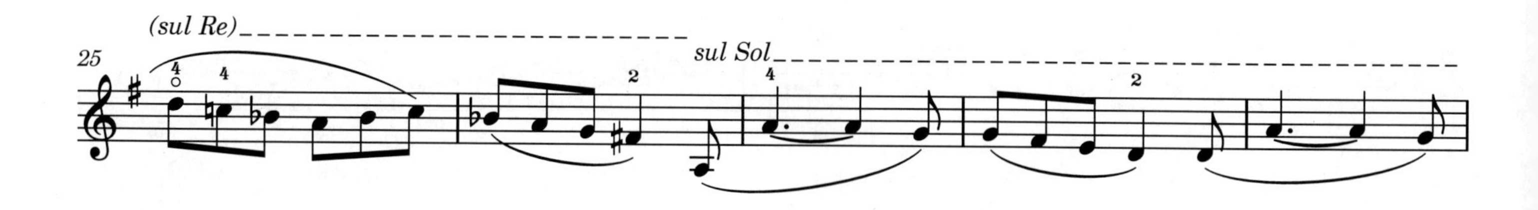

A
poco rit.
V pos.
V pos.
dolce

V pos.

V pos.
sul La

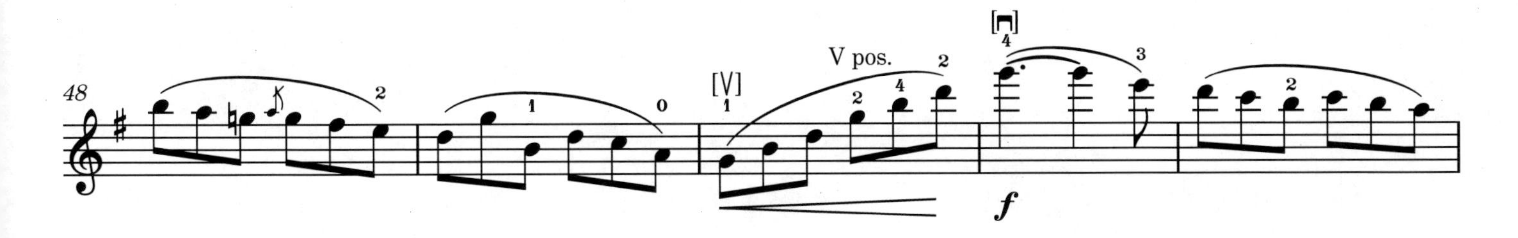
V pos.
f

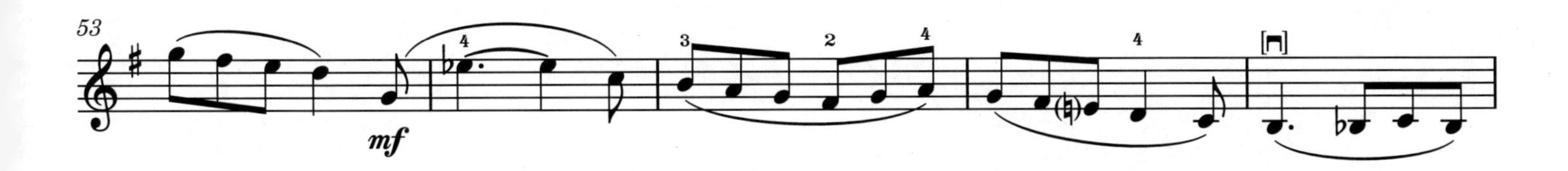
mf

B
restez
p

pp

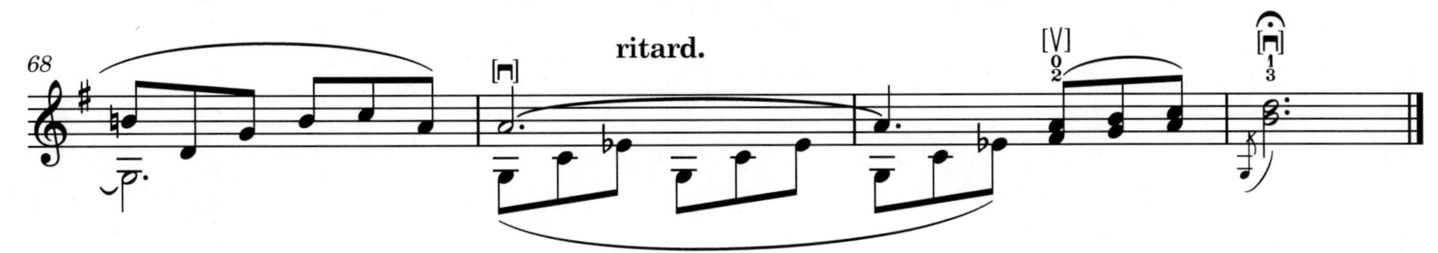
ritard.